NORSKE MALERE

ALF BØE
EDVARD MUNCH

ASCHEHOUG

ALF BØE

Edvard Munch

© H. Aschehoug & Co. (W. Nygaard), Oslo 1992

Boken er satt med 10/12,5 pkt Bauer Bodoni
hos Bokverkstedet, Aschehoug
Reproarbeidet er utført av Offset Kopio OY, Finland
Papir: 135g Matt Silverblade

Printed in Sweden
Centraltryckeriet i Borås, 1992

ISBN 82-03-16784-5

Bildene er levert av Munch-museet med unntak av følgende:
Nr 4, 5, 6, 7, 16 og 20 som er levert av Nasjonalgalleriet, nr 26
av Österreichische Galerie, Wien, nr 27 av Thielska Galleriet,
Stockholm, nr 30 av Nationalgalerie, Berlin, nr 38 av
Kunsthalle, Hamburg og nr 35 og 36 av Fotograf O. Væring,
Oslo

EDVARD MUNCH

Hvem var Edvard Munch? Vi kjenner ham på mange vis som en særling, en protestperson og til dels en bohem; men vi må likevel huske at Edvard Munch var født inn i en familie som var veletablert og priviligert i den tids Norge. Hans forfedre i rett nedadstigende linje etablerte seg her allerede på 1600-tallet. De ble embetsmenn – Edvards oldefar var biskop, hans bestefar prost. Norges første fremtredende maler Jacob Munch var hans bestefars fetter, dikteren Andreas Munch og historikeren P.A. Munch var hans fars henholdsvis fetter og bror. Edvard Munch var seg denne arv meget bevisst – «jeg nedstammer fra en av Norges mest kultiverte familier», skal han en gang ha sagt til den norske kulturhistorikeren Andreas Aubert. Selv om hans far etter sine standsfellers mål satt i beskjedne kår, og selv om hans mor kom fra en annen krets, var barnas oppvekst preget av overklassens intellektuelle standard: barna lærte språk, fikk undervisning i pianospill, hadde adgang til bøker. Munchs far var korpslege med privat praksis, men eide samtidig en kunstners temperament, og gjennom høytlesning gjorde han barna kjent med fremtredende litterære og historiske verk. Selv om familien Munch ikke deltok i det sosiale liv på en måte som de gjennom sin stilling kunne hatt naturlig adgang til, fornemmer vi gjennom brev og dagbøker et hjem som ikke var uten kontakt utad, og som må ha dannet ramme om utfoldelsen av megen varme og hygge.

ANGSTEN FOR DØDEN

Men ikke bare det. For familien Munch, som for de fleste av de samtidige, var fattigdom, sykdom og død langt mer påtrengende enn for oss i dag. Overbefolkede arbeiderleiligheter fantes i mengder like rundt hjørnet på det nyregulerte Grünerløkken, der familien Munch holdt til etter å ha flyttet fra Pilestredet da Edvard var 12 år. Tuberkulosen, som dengang var en svøpe for fattig og for rik, tok Edvards mor da gutten var bare fem år gammel, truet ham selv, og drepte hans høyt elskede eldre søster Sophie da han var 13, hun 15 år. Vi kan gjerne tro at en liten og følsom gutts savn av omsorg og kjærlighet har preget den voksne kunstner, og at redselen for døden og tilintetgjørelsen ble et grunnleggende trekk hos et barn og senere en voksen som stadig på grunn av svake lunger og et oversensibelt temperament følte at han levde sitt liv under dødens vinger. Dertil kom spenninger i familiens indre liv. Christian Munch, korpslegen, hadde giftet seg i en alder av 43 år; han var altså under Edvards oppvekst en aldrende mann, som særlig etter hustruens død gjennomlevde perioder av tungsinn og religiøse grublerier der hans sjelelige balanse iblant kunne synes forrykket.

Vi kan altså peke på forhold som forklarer særtrekk i Edvard Munchs kunst – hans kretsing omkring de store mysterier som knytter seg til livets oppkomst, til livsangsten og til døden slik han søkte å skildre dem i den rekke av bilder som han kom til å kalle sin *Livsfrise* – samtidig som vi noterer personlige egenskaper: Hans egosentrisitet, men også hans vårhet for inntrykk og hans evne til å trenge inn i følelsesliv hos mennesker omkring seg; og først og fremst kunstnerens drift til å beskrive, skildre og klargjøre i en uopphørlig bestrebelse på å skaffe seg innsikt i grunnleggende, men uforklarte forhold. I en bestemt sammenheng beskriver Edvard Munch sitt verk som en forskergjerning grunnet på kunstnerens studium av seg selv: «Som Leonardo da Vinci studerte menneskelægemets indre og disikerte ligså forsøker jeg at disikere sjæle,» sier han i notatsamlingen *Den gale Dikters dagbok*, der han også lar sitt alter ego Dikteren si at «det er et sjælestudium jeg har da jeg jo nærmest kan studere mig selv – brugt mig selv som et anatomisk sjælepreparat».

MUNCHS DOBBELTHET

Vi fornemmer også en eiendommelig dobbelthet hos ham. Mens så meget i bildene tyder opå en direkté, hindringsløs og spontan innlevelse, vet vi hvordan i alle fall de viktigste av dem er resultat av planmessig arbeid bevart i skisser som spenner over lange tidsrom. Han beskriver også selv hvordan han har vanskelig for å komme i direkte kontakt med livet. «For mig,» sier han i en av Munch-museets notatbøker, «er Livet som Vinduet i en celle – aldrig aldrig skal jeg nå det dcilige hcrlige Liv.»

Altså ingen enkel psyke, men en personlighet med rike fasetter: Høyborgerlig veloppdragen og galant, slik yngre kvinner beskriver den aldrende kunstner under hans senere år; samtidig bohem, Hans Jægers og August Strindbergs venn; uredd når det gjaldt å følge den linje som pekte seg ut for ham; tilsynelatende sårbar og i

mange sammenheng ubehjelpelig, samtidig som han også må ha vært en dyktig organisator av sin egen karriere – i alle fall i perioder. I de fleste avsnitt av sitt liv var han en hardt arbeidende kunstner som på tross både av trakasserier og store økonomiske og personlige vanskeligheter opprettholdt en produksjon som imponerer også i mengde. Dertil var Edvard Munch allsidig. Han hører til dem som ikke bare var en stor maler, men som også etterlot seg et enestående og betydelig grafisk verk – og det endatil i samtlige av de tre hovedteknikker gravyr, litografi og tresnitt.

DEN FORMELLE UTDANNELSE

Den formelle undervisning Edvard Munch mottok, var begrenset til tegning under skulptøren Julius Middelthun på Den kongelige tegneskole i Kristiania og til noen måneder hos den franske mester Léon Bonnat i Paris; det er fristende å si at han var selvlært. Hans første ni år som kunstner ble tilbrakt i Kristiania, under innflytelse av eldre norske kunstnere, med fransk naturalisme som den dominerende moderne retning, og impresjonisme som noe man leste om i kunsttids-

skriftene eller hørte om i beretninger av kunstnervenner i Paris. Hos Munch vitner de tidlige verk også om en trang til å skape en psykologisk ladet atmosfære gjennom rent maleriske virkemidler i penselstrøk, farge og tekstur – abstrakt understreking av hva bildets motiv antyder. Lengst gikk han i sitt store ungdomsverk *Syk pike*, malt vinteren 1885-86, der han gjennom måneders eksperimentering søkte å finne en teknikk som kunne bære det sterke følelsesmessige innhold han ønsket å legge ned i bildet. Senere, gjennom sitt opphold i Frankrike med norsk statsstipendium fra 1889 - 1892, utviklet han en personlig stilisert malemåte der linje og flate er hovedelementer i en forenklet billedfremstilling, og der fargen brukes for å forsterke den rent følelsesmessige slagkraft.

DEN FORENKLEDE STIL

Interessant er det å se hvordan han i løpet av disse tre år liksom prøver forskjellige kostymer, idet han maler seg gjennom de impresjonistiske og pointillistiske formuttrykk, for til slutt og helt definitivt å bryte igjennom med det vi mest praktisk kan kalle hans lineærdekorative stil. Denne nye forenklede stil forutsetter tro på at maleriets abstrakte virkemidler har emosjonell uttrykkskraft. Samtidens kunstteoretikere snakket om den musikalske, uttrykksfulle linje, og man diskuterte fargens uttrykk og dens evne til å bære et følelsesinnhold. Så ser vi da også at Edvard Munchs bilder gjennom første halvdel av 1890-årene nettopp gir uttrykk til slike oppfatninger: Hans farger kopierer ikke nødvendigvis verden slik den objektivt fremtrer, men tvertimot slik den subjektivt oppfattes. Han utvikler eksempelvis en vakker karmosinrød farge som brukes i alle sammenheng der sterke følelser skal fremstilles – i erotisk anstrøkne kvinneskildringer, i drakten til det lille barn som skriker ut sin sorg ved morens dødsleie, og han ikler også en av sine fete franske horer det samme sensuelle, lidenskapelige røde: I «dobbeltportrettet» *Rose og Amelie* spår de i kort – røde hjerter, mens en luguber slagskygge legger seg blå opp mot veggen bak. Både farger og billedelementer blir symboler for en virkelighet som kunstneren har følt og som han får oss til å leve med i, og uten at den er klart litterært beskrevet.

Hans abstraherte formspråk ble utviklet under påvirkning fra samtidiger radikale franske malere – i all hovedsak kretsen rundt Paul Gauguin – og ble tatt i bruk for utforsking av de store og overveldende emosjoner som styrer menneskelivet: Det erotiske livs mysterier og komplikasjoner, livsangst og refleksjoner over døden, er hovedtema i Munchs symbolistiske verk i 1890-årene, slik det fremtrer i den billedsyklus han senere i livet kom til å samle under navnet *Livsfrisen*. Her finner vi dem, alle de sentrale ungdomsmotivene, fra bildet av vennen Jappe Nilssen ved stranden i Åsgårdstrand fra 1891, over *Pubertet*, *Madonna*, *Stemmen*, *Angst*, *Døden i sykeværelset* og tallrike andre – med det utrolig radikale *Skrik* som et tematisk høydepunkt.

STILISERING OG REALISME

Selv om Munch gjennom sin malemåte skapte et stilisert bilde av virkeligheten, var han realist i den forstand at vi nesten alltid kan forklare hans verk med henvisning til landskap han kjente som sine egne, og til et tematisk innhold i bildene som går tilbake på personlige erfaringer. Det begynner med direkte skildringer av familie og venner, hjemmets interiører, og dertil de nære omgivelser i Kristiania og fra sommerferiens landskap. Senere kommer barndomserindringene til – minner om mor og søster, de berømte dødsscenene, og så *Livsfrisens* erotiske skildringer med bakgrunn i egne til dels meget forvirrende erfaringer. De ladede symbolske billedfremstillinger av kjærlighetslivets mysterier utfolder seg på bakgrunn av den buktende rullestensstranden i fjordpartiet fra Horten til Slagentangen, og bakgrunnen for *Skrik* gjengir sterkt forenklet men korrekt utsikten fra Ekeberg over Kristianiafjorden med Akersneset, Trefoldighetskirkens kuppel og de omkransende åser.

EN NORDISK KUNSTNER

Sin franske bakgrunn til tross oppfattet Munch seg i hvert fall i senere år som en kunstner med tilhørighet i Norden. Som 40-åring, i 1903, forteller han ifølge vennen Gustav Schieflers dagbok at han i Paris var redd for å miste sin germanske egenart, og derfor foretrakk å bo i Berlin. Vi må være klar over at ordet ‹germansk› ikke den gang var belastet på samme måte som det er blitt etter nazistenes bekjennelse til germanisme fra 1930-årene av.

Iallfall er det riktig at den modne, den berømte Edvard Munch ble annektert av de tyske modernister, slik det kanskje sterkest kom til uttrykk ved den store Sonderbund-utstilling i Köln 1912. Her ble Edvard Munch gitt en stor separat avdeling, i likhet med de tre andre kunstnere som av den tyske avantgarde ble oppfattet som grunnleggende i forhold til den tyske modernisme, nemlig Vincent van Gogh, Paul Gauguin og Paul Cézanne. Innforlivelsen av Munch i tysk bevissthet ble forsterket ved den store utstilling av hans verk i Nasjonalgalleriet i Berlin i 1927, og står også i dag ved makt på tross av den behandling han ble til del av nazistene i 1930-årene, da hans bilder ble tatt ut av museenes samlinger sammen med en lang rekke andre kunstneres som heller ikke ble ansett å tilhøre det den tyske ordning anså å være samfunnsbyggende kunst.

- OG EN INTERNASJONAL MALER

Med sin kombinerte tyske og franske bakgrunn og med sin solide anerkjennelse i nord-europeiske land ble Edvard Munch mer enn sine norske samtidige en internasjonal skikkelse. Utenkelig uten sitt norske grunnlag, men like utenkelig uten den vekst han fikk under påvirkning av forhold ute og i omgang med kunstnerkolleger i Berlin og i Paris – forfattere minst like meget som billedkunstnere. Tyske venner var blant dem som støttet og forsto ham best.

Særlig i 90-årene var han en av de meget få kunstnere som pendlet mellom keiser Wilhelms Tyskland og den tredje republikks Frankrike. I en tid da nasjonalistiske holdninger gjorde seg sterkt gjeldende i rivaliseringen mellom disse to land, kom Munch uforvarende til å utløse en lokal konflikt da hans første utstilling utenlands ble stengt etter bare en ukes visning i Berlin november 1892. Her ble han oppfattet som en representant for uakseptable radikale franske strømninger. Begivenheten lanserte ham imidlertid som en *succés de scandale*, og Munch var selv meget fornøyd med sin rolle: Med ett slag var hans verker etterspurt – om ikke for salg, så for utstillinger – over hele Tyskland, noe som i hvert fall ga en nødtørftig inntekt gjennom inngangspenger. Hva mer var, han fikk innpass i en krets av radikale intellektuelle – en blanding skandinaver, tyskere og i hvert fall ett betydelig innslag fra Polen. Det er ikke tvil om at omgangen med den polske forfatter Stanislaw Przybyszewski, svensken August Strindberg og de tyske – blant dem den senere sentrale kunstkritiker Julius Meier-Graefe – betydde meget for utviklingen av Edvard Munchs ideer og derved også for veksten i hans kunstneriske gjerning. Han utvidet også sitt repertoar ved å kaste seg over grafiske teknikker – først radering, etsing og litografi, senere, etter ankomsten til Frankrike i 1896, også tresnitt. Han kunne arbeide mot bakgrunnen av en rik tradisjon som strakte seg bakover gjennom Goya til Rembrandt, og der en rekke samtidskunstnere hadde dyrket grafikken som en selvstendig, uttrykksbærende kunstart. Det gjelder den høyt beundrede tyske grafiker Max Klinger, belgieren Félicien Rops, og en rekke av Munchs mer samtidige fra Toulouse-Lautrec til Felix Vallotton og Pierre Bonnard.

Da Edvard Munch kom til Frankrike for sitt andre lengre opphold i 1896, var hans hensikt ganske sikkert å slå igjennom i dette sentrale internasjonale miljø. Dette lykkes ham imidlertid ikke, og de siste år av 1890-årene finner vi ham igjen hjemme i Kristiania, og senere rastløst flakkende mest mellom Tyskland og Norge, med leilighetsvise avstikkere til

Frankrike, Italia og Sveits. Nettopp rundt århundreskiftet ser vi også en nyorientering i hans kunst – de rene landskap kommer inn. Selv om hans bilder alltid preges av en intens underliggende spenning, finner vi i enkelte verker en ro som virker moden og behersket. Det er selvfølgelig slik at meget avhenger av øyet som ser, men jeg synes at hans store vinterlandskap fra Nordstrand med utsikt over Oslofjorden kan beskrives slik. Beskrivelsen passer i særlig grad på det praktfulle verk *Fruktbarhet* fra 1898, og på de monumentale hovedfelt i Auladekorasjonene, utarbeidet i årene 1909-16.

BALANSE PÅ AVGRUNNENS RAND

Edvard Munch har selv sagt at hans liv var en balanse på randen av en avgrunn, og hans venn og huslege professor K. E. Schreiner har gjengitt hans uttalelse om at «sykdom, galskap og død var de engler som sto vakt ved min vugge og siden har fulgt meg gjennom livet». Han mente selv at han bar på tunge arvelige byrder: Svak helse, et nervøst temperament. Vi skal vel ikke se bort fra at hans oppfatning stemte godt overens med hva hans ungdoms samtid forventet seg

av en kunstner: 1890-årene dyrket ideen om geniets overfølsomme sinn som nettopp ga evnen til innlevelse i de store livsmysterier kunstneren så det som sin oppgave å skildre menneskene. Med det personlige grunnlag gitt, og med en slik holdning som drivkraft, er det vel også trolig at de tendenser vi snakker om blir selvforsterkende gjennom et langt liv. Hvordan man enn ser det – Munchs årelange kamp mot dårlig økonomi og hans kamp for selvhevdelse i et internasjonalt miljø må ha kostet, og hans liv fløt da heller ikke hen uten klage. Likevel søkte han aldri tilflukt i en borgerlig velregulert tilværelse, selv etter sin hjemkomst til Norge, da hans økonomi kunne ha gitt anledning til det. Beskrivelsene fra Ekely, der han tilbrakte den siste del av sitt liv etter at han kjøpte eiendommen i 1916, er samstemmige gjennom hele den periode Munch bodde der: Et høyst tilfeldig, for det meste nedarvet møblement, både boligrom og atelier utlagt som arbeidsplass, ingen konvensjonell orden og liten hjemmehygge.

Han levde blant sine verker som en forsker blant sine bøker, og opprettholdt øyensynlig en uavbrutt tankens og følelsens dialog med dem og med den store samling av per-

sonlige opptegnelser som samlet reflekterte hans eget liv.

Gjennom sine år som etablert kunstner i Norge, fra hjemkomsten i mai 1909 fra et langvarig sykehusopphold i København og frem til sin død i januar 1944, finner vi ingen overraskende sprang i hans uttrykksform etter at han i årene opp mot 1907 hadde arbeidet seg bort fra 90-årenes dekorative-lineære form for stilisering. Derimot ser vi en utvidelse av repertoaret, som dessuten og til dels blir mindre personlig sentrert. Hans store arbeiderbilder hører denne perioden til, og hans monumentale verk for Universitetets aula ble som nevnt sluttført i 1916. Han levde tilbaketrukket og til dels isolert, deltok bare sporadisk i samtidens kunstliv, men kan kanskje også selv i noen grad ha bidratt til å skape myten om den store og ensomme original.

MUNCH I SAMTIDEN

For samtiden var han en udiskutabel størrelse, hevet over de intense konflikter i det hjemlige kunstmiljø, og for suveren til å kritiseres. Riktignok kunne hans kunst fremdeles bli gjenstand for bitter kritikk i konservativ presse – vi har et usedvanlig klart uttrykk for konvensjonelle reaksjonære holdninger i journalisten Burchard Jessens kritikk av hans utstilling i Bergen 1916. Med utviklingen av et non-figurativt formspråk og fremveksten av de radikale ismer fra Picasso og fremover, må likevel den aldrende Edvard Munchs kunst ha synes mindre revolusjonær, samtidig som hans nærvær i Nasjonalgalleriet og andre offentlige samlinger i Norge og i Tyskland gjorde ham selvfølgelig, i hvert fall for samtidens intellektuelle elite. Dertil kom at særlig hans grafikk var populær, og til å se i ganske stort antall på veggene i mer velhavende hjem.

I et selvportrett malt på Ekely i 1927 fremstiller Munch seg med palett i hånd, oppkneppet skjorte og ansiktet vendt mot den lyskraftige middagssol – en aldrende kunstner, men ved sin fulle kraft. Bildet skulle snart endre seg: Et sprengt blodkar i det høyre øye – hans beste – tør ha vært en alvorlig påkjenning for den 70-årige kunstner, og man fornemmer gjennom de siste ti år av hans liv at arbeidskraften ikke lenger er den samme. Trolig inneholder Munchmuseets samling de fleste av hans verk fra denne tid. De er ikke tallrike - men der er juveler iblant.

Også i de fremste av sine alderdomsverk viser Munch seg å være en av de få kunstnere som bevarer følsomhet og skaperevne uforminsket. Hans akvarell-aktige vinterlandskap som antagelig daterer seg fra midten av 1930-årene, er malt med hengiven og lyrisk innlevelse, og hans senere modellstudier fra blomsterhagen viser ham som det han *også* må ha vært: En livsdyrker, mottagelig for den overveldende rikdom i sommerens landskap.

Og samtidig – angsten forblir et dominerende motiv. Den bryter frem med tragisk kraft i de senere selvportretter som viser en snart 80-årig gammel mann vandrende alene i de tomme rom på Ekely, eller stilt opp mot en varm radiator, men med skrått blikk ut mot den grønnkalde vinter utenfor vinduene, eller stilt som i «giv akt» mellom den oppredde seng og slaguret, der skivene er malt uten viser og tall; og endelig, i *Klokken 2 1/4 natt*, den utmagrede gammelmannsskikkelsen som reiser seg halvt fra stolen liksom kallet av en stemme hørlig bare for ham, og med fryktens dype urovekkende skygge kastet på veggen bak.

1.
Gamle Aker Kirke 1881
Malt på kartong
16 x 21 cm
Munch-museet

Malt fra familen Munchs leilighet i Fossveien. Det er tydelig at Munch arbeider seg frem til det endelige resultat gjennom en rekke skisser som finnes i Munch-museets eie, og som viser at han allerede tidlig la seg til en arbeidsform som vi også kjenner fra senere perioder: Etter å ha festet det grunnleggende trekk ved motivet på papiret, legger han den første skissen til side uten å overarbeide den. Motivet overføres derimot til et nytt ark, og arbeides videre til et neste stadium, hvorpå også denne skisse legges til side. Slik kunne Munch gå gjennom flere skissestadier frem til en endelig versjon. Karakteristisk for dette lille, tidlige byprospekt er den faste innordning av arkitekturelementer i en sikker helhetskomposisjon og den myke fargeholdningen.

12

2.
Ved kaffebordet 1883
Malt på lerret
44,5 x 77,5 cm
Munch-museet

Malt i familien Munchs leilighet. Ved bordet sitter
Edvards far, korpslege Christian Munch, og doktorens
svigerinne Karen Bjølstad, som styrte huset etter søsterens
død i 1868. Komposisjonen er trang, med bordplaten skå-
ret av og skjøvet helt frem i forgrunnen, slik at vi som til-
skuere kommer figurene nær. Dette øker intimiteten i vårt
forhold til bildet. Begge personer sitter med nedslåtte øyne
og liksom innesluttet i sin egen tankeverden.
Penselføringen er utpreget malerisk, og bildet er meget
fint koloristisk gjennomarbeidet i forsøk på å fange lysets
spill og atmosfæren i rommet.

3.
Olaf Ryes Plass 1884(?)
Malt på papp
48 x 25 cm
Nationalmuseum, Stockholm

Malt fra familiens leilighet på Olaf Ryes plass. Bildet er
usedvanlig og virker dramatisk ved den vertikale form og
en nesten tom forgrunn, som imidlertid avgrenses ved fast
komponerte bygningsformer, der lyset glir over fasadene i
skiftende styrke.

4.
Portrett av maleren Karl
Jensen-Hjell 1885
Malt på lerret
190 x 100 cm
Privat eie

Munchs venn, malt etter
Munchs første besøk i
Paris. En nonchalant og
ganske frekk oppstilling,
med skissepregede effek-
ter som virker overrasken-
de – se lysglimtet i
monokkelglasset. Bildet
ble oppfattet som uferdig,
og vakte skandale på
Høstutstillingen, men var
det første i en lang rekke
av staselige, helfigurs por-
tretter fra Munchs hånd
(se ill. 13, 28). Høyst
sannsynlig er Munch blitt
inspirert av verdenskun-
stens store portretter slik
han kunne studere dem i
Louvre på et kort besøk
samme sommer, men like-
vel taler bildet om selv-
sikkerhet og selvstendig-
het overfor rådende opp-
fatninger hos en ung
maler bare 22 år gammel.

14

5.
Syk pike 1885-86
Malt på lerret
119,5 x 118,5 cm
Nasjonalgalleriet, Oslo

Malt i familiens leilighet på Grünerløkka (Schous plass) vinteren 1885-86, og utstilt på Høstutstillingen 1886 under tittelen . Selv om modellene er tanten Karen Bjølstad og en ung pike som var farens pasient, gir maleriet Edvards oppfatning av hans eldre søster Sophies død i 1877. Malerteknisk er bildet usedvanlig, med tykt pålagt lag av farge og merker etter skraping og riss ved siden av penselstrøkene. Det virker som om Munch har strevet etter å finne en teknikk som kunne formidle de sterke følelser han ville legge i bildet. I Munchs notater uttrykker han sin hensikt slik: «Hva jeg har villet ha frem – er det som ikke kan måles – jeg har villet ha frem den trætte bevegelse – i øinelågerne – læberne skal synes at hviske – hun skal synes at puste – jeg vil ha livet – det som lever.»

6.
Selvportrett 1886
Malt på lerret
33 x 24,5 cm
Nasjonalgalleriet, Oslo

Portrettet er malt i samme
oppløste stil som «Syk pike»
(ill. 5) og portrettet av Karl
Jensen-Hjell (ill. 4) fra sam-
me år. Innflytelse fra
Rembrandts lysføring og fra
hans pastose malemåte nev-
nes iblant særlig i sammen-
heng med *Syk pike*, og igjen
er det trolig at møtet med
verdenskunsten under
Paris-oppholdet sommeren
1885 har ført Munch inn på
nye baner: Han søker en
personlig malemåte som kan
bære et variert psykologisk
innhold.

8.
Inger på stranden 1889
Malt på lerret
126,5 x 162 cm
Rasmus Meyers Samlinger, Bergen

Malt i Åsgårdstrand sommeren 1889. Hele familien var flyttet ned til et lite hus nær stranden, og søster Inger poserte. Bildet er et forvarsel om den forenklede stil som Edvard Munch skulle utvikle for sine symbolistiske motiver fra 1890-årene: Ingers figur og de store steinene er samlet i enkle volumer, der konturlinjen gjør seg sterkt gjeldende. Samtidig ligger horisonten ovenfor bildet, slik at oppmerksomheten konsentreres om søsterens skikkelse – fremstilt som den er i følelsesmessig samklang med aftenstemningen.

7.
Blomstereng. Veierland ved Tønsberg 1887
Malt på lerret
66,5 x 44 cm
Nasjonalgalleriet, Oslo

Ett av Munchs tidlige forsøk på å fange den nordiske sommernattstemning som skulle bli så viktig i sentrale verk fra 1890-årene – selv om billedspråket den gang ble et helt annet. Minner fra sommeridyllen på Veierland, der Munch tilbrakte sommeren i 1887, ga også landskapsbakgrunnen for den grafiske serie om *Alfa og Omega* som Munch skapte under sykehusoppholdet i København 1909.

9.
Postbåten kommer 1890
Malt på lerret
98 x 130 cm
Privat eie

Malt i Åsgårdstrand etter Munchs første vinter i Paris. Liksom ill. 10, 11 og 12, er dette bildet malt under innflytelse av Munchs opphold i Frankrike, der han på nært hold fikk studere både de vel etablerte modernistiske retninger og det som var helt fremme i tiden. Dette bildet gir en svak refleks av den koloristiske formoppløsning som de franske impresjonister hadde drevet langt, men forbundet med en kraftfull komposisjon, slik vi nesten alltid finner den gjennomført hos Munch.

10.
Vår på Karl Johan 1890
Malt på lerret
80 x 100 cm
Bergen Billedgalleri

Liksom ill. 9 malt sommeren 1890 etter Munchs første vinter i Paris, men i en teknikk som tydelig er påvirket av fransk pointillisme. Vi noterer altså hvordan han samtidig forsøker seg i flere retninger. Karl Johan var den gang borgerskapets promenadegate, og både Munchs notater såvel som samtidig litteratur forteller hvor viktig gaten var som treffpunkt. Grand Café og Gravesens kafé var samlingspunkt for en bred krets av kunstnere, intellektuelle og politikere. *Vår på Karl Johan* er bare ett av tallrike versjoner av Munchs Karl Johan-motiver: *Militærmusikken kommer* fra 1889 og *Aften på Karl Johan* fra 1892 er to kjente og meget forskjellige versjoner.

11.
Strand i Nizza 1892
Malt på lerret
46,5 x 69 cm
Munch-museet

Ett av flere bilder malt fra Nizza under Munchs stipendieopphold. Vi er godt underrettet om Munchs tid
her gjennom hans notater, og vi vet at han ved siden av disse motivene fra byen og fra stranden også stre-
vet med å få form til den helt revolusjonerende komposisjonen *Skrik*. Strandbildet er et solmettet stem-
ningsbilde, gitt i et utpreget malerisk strøk – men igjen med vekt på store hovedlinjer i komposisjonen

12.
Jappe på stranden. Melankoli 1892 (?)
Malt på lerret
65,5 x 96 cm
Nasjonalgalleriet, Oslo

Dette motivet finnes i flere versjoner, og de lærde strides om hvilken som er den eldste. Den første formulering av bildet vet vi imidlertid ble gjort i Åsgårdstrand sommeren 1891, på grunnlag av impulser som Edvard Munch må ha fått fra kretsen omkring Nabis-gruppen og Gauguin i Paris. Det ble stilt ut på Høstutstillingen samme år, og rost av Christian Krohg. Bildet står sentralt i Munchs utvikling mot dekorativ symbolisme på 1890-tallet: De glidende linjer, de forenklede former samlet innenfor tydelige konturer, og den følelsesbestemte fargeholdningen er grunntrekk i hans produksjon for de neste 10-15 år.

13.
Dagny Juel Przybyszewska 1893
Malt på lerret
148,5 x 99,5 cm
Munch-museet

Malt i Berlin 1893. Dagny Juel var pianistinne, en venninne av Munch, som introduserte henne for sine venner i Berlin der hun kom til å bli sentral som August Strindbergs nære venninne, og senere gift med den polske forfatter Stanislaw Przybyszewski. Hun gjorde seg bemerket også som skribent, og må ha vært både fengslende og erotisk tiltrekkende. Munch maler henne med utpreget sensualisme, og hennes personlige utstråling uttrykkes ved konsentrerte, liksom magnetiske ringer rundt hennes hode.

14.
Stemmen ca. 1893
Malt på lerret
90 x 118,5 cm
Munch-museet

Liksom en rekke bilder med kjærlighetsmotiver som Munch malte – de fleste av dem med referanse til Åsgårdstrand – har dette motivet antagelig sin bakgrunn i en kjærlighetsaffære fra sommeren og høsten 1885. Den erotiske stemningen understrekes av en fallosformet månerefleks, og piken er skjøvet helt frem i forgrunnen der hun sensuelt beveget møter tilskueren, som tar tilbederens plass. Bildet er senere sterkt overmalt, blant annet med gylden oppfriskning av båtene og månerefleksen i bakgrunnen.

15.
Rose og Amelie 1893
Malt på lerret
78 x 109 cm
Munch-museet

To fete horer spår i kort – det er visstnok hjerter de legger. De store
blålige skyggene som figurene kaster på veggen bak, er bærere av
noe illevarslende, og den røde farge på lepper og kjole kjenner vi
igjen fra andre sammenhenger hvor Munch skildrer noe følelsesmes-
sig opphissende. De to er fremstilt som skremmende prestinner for
den kjærlighetsløse erotikk.

16.
Skrik 1893
Tempera og pastell på kartong
91 x 73,5 cm
Nasjonalgalleriet, Oslo

Knapt noe maleri hadde inntil *Skrik* ble skapt, gått så langt i en følelsesladet bruk av farge og fordreining
av form. Motivet er malt på den gamle chauseen som i sin tid gikk langs Ekebergåsen ovenfor Gamlebyen
i Oslo, og vi gjenkjenner i sterkt forenklet form åsene rundt fjorden og Akersneset med
Trefoldighetskirken lenger inne på land. Vi vet at bildet ble utformet gjennom flere stadier av forenkling,
der Munch søkte å beskrive en panisk følelse av fortvilelse som grep ham en solnedgangsaften her oppe:
«jeg gik langs veien med to venner – Saa gik solen ned – Himmelen blev pludselig blod og jeg følte det
store skrig i naturen –».

17.
Vampyr 1893-94
Malt på lerret
91 x 109 cm
Munch-museet

18.
Madonna 1893-94
Malt på lerret
90 x 68,5 cm
Munch-museet

Bildets tittel kom til senere – kanskje har
August Strindberg hatt innflytelse på den.
Kanskje har Munchs opprinnelige tanke med
komposisjonen vært helt motsatt, idet man-
nen legger sitt hode til kvinnens bryst og hun
kysser ham ømt i nakken. Iallfall tyder det
røde oppløste håret på en erotisk spent situa-
sjon, og den store, mørke og klart konturerte
skygge slutter figurene inn i et intenst
spenningsfelt.

Det eksisterer fem eksemplarer av maleriet, som ble
utført i Berlin. Trolig har Munch brukt modell, men
skikkelsen gjengir antagelig likevel trekk hentet fra
kvinner han har kjent, slik at også denne fremstil-
ling i likhet med de fleste andre av *Livsfrisens* store
motiver knytter seg til personlige opplevelser.
Motivet, dristig for sin tid, skildrer kjærlighetens
høydepunkt i unnfangelsesøyeblikket. Hans egen
notatbok-tekst angir stemningen: «Dit ansigt rum-
mer all verdens ømhed – Der glider Måneskin over
Dit Ansigt der er fuldt av Jorderigs Skjøhed og
Smerte Thi nu er det Døden rekker livet Hånden og
en kjæde knyttes mellom de tusind Slægter der er
døde og de tusind Slægter der kommer.»

27

19.
Løsrivelse 1893
Malt på lerret
115 x 150 cm
Munch-museet

Blant Munchs egne tekster som kan passe til dette
bildet velger vi en kort og konsentrert: «Da du
forlod mig over havet / var det som ennu fine /
traade forendc os / det sled som i et sår.» Vi ser
på benken de to har sittet på, og den erotiske
stemning understrekes igjen av månerefleksens
form. Bildet gir et hovedmotiv i den syklus
Munch kalte *Livsfrisen*, men har av en eller annen
grunn vært utsatt for vannskade og alminnelig
ødeleggelse. På et senere tidspunkt har kunstne-
ren frisket opp og overmalt månesigden, pikens
hår, den røde smertens blomst og de blodrøde
blad på treets gren. I dag virker dette vakre bildet
som en praktfull blomstrende ruin.

20.
Selvportrett med sigarett 1895
Malt på lerret
110,5 x 85,5 cm
Nasjonalgalleriet, Oslo

Komposisjon og lyssetting i dette bildet er antage-
lig tatt fra et fotografisk selvportrett av August
Strindberg, som var Munchs nære omgangsvenn i
Berlin et par år tidligere. Det blå, atmosfærisk
oppløste billedrom er imidlertid skapt av Munch
selv. Det stirrende, slørete blikk som Munch har
gitt portrettet, får kunstneren til å fremtre nesten
som et medium i trance. Dette stemmer vel også
med hans og tidens oppfatning av kunstnerens
rolle – det utvalgte menneske begavet med føl-
somhet sterkere enn andres, og evne til å skildre
de dype lag av menneskets sinn.

21.
Ludvig Meyers barn 1895
Malt på lerret
104 x 123,5 cm
Privat eie

Edvard Munch var en av sin samtids meget betydelige portrettmalere, og blant hans barneportretter hører
bildet av Ludvig Meyers barn til ett av de fremste. Ludvig Meyer (1861-1938) var høyesterettsadvokat i
Kristiania, og en tid formann i Arbeiderpartiet og redaktør av *Social-Democraten*. Han opptrådte i høyes-
terett som forsvarer for Edvard Munchs venn Hans Jæger. Kontrasten i fremstillingsmåten med Munchs
selvportrett fra samme år er slående: Barna er skildret i klar belysning, direkte og friskt.

22.
Den døde mor og barnet 1897-99
Malt på lerret
104,5 x 179,5 cm
Munch-museet

Igjen et hovedmotiv fra *Livsfrisens* dødsskildringer, med referanse til begivenheter i familien. Som i Munchs øvrige dødsbilder opptrer de sørgende isolert fra hverandre; bare den lille piken som stirrer rett frem ut av bildet gir kontakt til verden utenfor. Det røde i hennes kjole uttrykker en flammende følelses-utladning, i kontrast til de voksnes stille og dumpe sorg.

23.
Fruktbarhet I 1898
Malt på lerret
120 x 140 cm
Privat eie

Bildet er et stemningsdikt over livets store syklus: Treet representerer veksling av stoff fra død næring til blad og blomster – det er et livets tre. Under treets grener plasserer Munch det unge par – hun tydelig fruktsommelig, bærende et fat med store, røde og modne bær – han tankefull og mørk. Begge er malt uten ansiktstrekk, som typer satt inn i en symbolsk situasjon, ikke som skildringer av individer. Bildet eier en fylde og ånder en ro som er sjelden i Edvard Munchs kunst.

24.
Rød villvin 1898-1900
Malt på lerret
119,5 x 121 cm
Munch-museet

Huset med den røde villvin er Kiøsterudgården i Åsgårdstrand, og mannen med de oppspilte øynene i forgrunnen har trekk som fører tilbake til portrettet av Edvard Munchs polske venn Stanislaw Przybyszewski. Selv om vi ikke kjenner bakgrunnen, refererer bildet trolig til et høydramatisk personlig minne, til en opplevelse eller hendelse som Munch har kommentert i dette emosjonelt ladede motiv.

34

25.
Hvit natt 1901
Malt på lerret
115,5 x 110,5 cm
Nasjonalgalleriet, Oslo

Bildet tilhører en gruppe malt fra Nordstrand med utsikt over
Oslofjorden i tiden 1900 - 1901. *Øen*, *Togrøk* og portrettet av den syke
søster Laura hører blant dem. Den store, hvelvede stjernehimmel had-
de Edvard Munch utformet allerede i sitt storslagne sommerbilde
Stjernenatt fra 1893. I Nordstrand-bildet skildres mystikken i den
måneklare vinternatt, med kaldt stjerneskinn over en islagt fjord og
den lukkede husfasade i midten av bildet som eneste tegn på mennes-
kelig nærhet. Sterkt stemningsbærende er også fargen – blått i grade-
ringer ned mot sort, og med svake innslag av en varmere tone mot
horisonten.

26.
Sommernatt ved kysten 1902
Malt på lerret
103 x 120 cm
Österreichische Galerie, Wien

Nok en gang avbildes et strandparti fra Åsgårdstrand, hos Munch forbundet med intense personlige minner. Månen og månerefleksens sentrale plassering gir bildet en usedvanlig stram symmetrisk oppbygging,
i balanse mellom de vertikale og de horisontale linjer. Kontrasten i malemåte mellom det flytende foredrag i tynt pålagt farge over sjøen og den mer pastose forgrunn bærer spenningen i bildet. Det ble utstilt i
Wien i 1904, og innkjøpt av Alma Mahler, den berømte komponistens hustru.

27.
Damene på broen 1903
Malt på lerret
203 x 230 cm
Thielska Galleriet, Stockholm

Ett av Munchs aller mest populære motiver, gjentatt i forskjellig utforming der broen iblant befolkes med
småpiker, iblant – som her – med voksne kvinner. I denne versjonen er de sommerkledde unge damene
også satt opp i kontrast mot tre mørkkledde fiskere – en kontrast i sort og lyst som Munch ofte betjener
seg av i beskrivelsen av forholdet mellom mann og kvinne, og som her er så poengtert at den gir et svakt
illevarslende preg, som om det lyse og glade liv var satt i kontrast til mørk død. Scenen er Åsgårdstrand,
med Kiøsterud-gården og de store ekekronene i bakgrunnen, og døgnets tid er den fullmånebleke som-
mernatt.

28.
Portrett av maleren Ludvig
Karsten 1905
Malt på lerret
194 x 91 cm
Thielska Galleriet, Stockholm

Ved tiden etter århundreskiftet
malte Munch en rekke av sine
fineste portretter: Mange av dem i
helfigur, med fremstilling av nære
venner – min kunsts livvakt, kalte
han dem. Hans yngre malerkolle-
ga Ludvig Karsten sto modell til
ett av de fineste. Karsten var en
stor beundrer av Munch, som
også verdsatte sin yngre kollega
som kunstner. Vi kan gå ut fra at
Munch har posert sin modell med
omhu for å få frem nettopp preget
av en viss overlegen nonchalanse.
Det estetiske poeng forsterkes ved
den praktfulle kontrast mellom
gul bakgrunn og Karstens mørke,
ekstravagante kunstnerhatt.

29.
Selvportrett ved vinen 1906
Malt på lerret
110,5 x 120,5 cm
Munch-museet

Malt i Weimar, der Munch oppholdt seg på oppdrag fra den svenske bankier Ernest Thiel for å male et
posthumt portrett av Friedrich Nietzsche. Munch sitter med tom tallerken nesten alene i det ødslige loka-
le, med hva som øyensynlig er et ildsted malt som en rød aura bak sitt hode. Bildets perspektiv suger
blikket inn mot en liten, ansiktsløs og mørk figur bakerst i rommet som synes å gi et fortettet uttrykk for
portrettets stemning av mismot.

30.
Strandbilde 1906-07
Malt på lerret
91 x 157,5 cm
Nationalgalerie, Berlin

Bildet tilhører den frise som Munch malte for det nye Kammerspieltheater på oppdrag av den berømte teaterdirektør Max Reinhardt i Berlin. Frisen viser livets utfoldelse på en strand mellom skog og hav, tydelig med referanser til det elskede Åsgårdstrand. Alle bildene er tynt malt og bærer en sterkt lyrisk grunntone som særlig tydelig kommer frem i dette strandutsnittet. Frisen ble demontert og spredt, men gjort til gjenstand for en interessant utstilling arrangert i Tyskland i 1978.

31.
Badende menn 1907
Malt på lerret
206 x 277 cm
Athenaeum Kunstmuseum, Helsingfors

Malt i den lille badebyen Warnemünde på Østersjøkysten som midtparti i et triptyk der venstre og høyre side viser henholdsvis bilder av en ung gutt og av en aldrende mann: Med andre ord – en skildring av livets tre stadier. Midtpartiet viser manndom på livets høyde, mennene nakne i nær kontakt med havet, alt livs grunnlag og opphav. En serie studier i Munch-museets samling viser hvordan Munch har arbeidet seg frem til en abstrakt behandling av bølgeformene, og vi ser hvordan bildet nesten er murt opp av brede, korthugne penselstrøk. Athenaeums versjon er solsterkt og høystemt i fargen, Munch-museet eier en mindre dramatisk versjon.

32.
Sjalusi 1907
Malt på lerret
76 x 98 cm
Munch-museet

Bildet tilhører en liten gruppe som sterkt markerer Munchs endelige overgang fra en lineær og flate- pre-
get, mer dekorativ stilform (se f. eks. ill 12) til en fri, malerisk ekspresjonisme. Vi kjenner sjalusitemaet
fra verk på begynnelsen av 90-tallet, og det er typisk for måten Munch arbeidet på at han gjerne på ny
bearbeidet gamle motiver i ny form. Som ofte ellers står den unge piken sentralt i bildet, blussende og
frodig i sin erotiske kvinnelighet, mens mennene rives av sjalusi. Typisk for Munch er den usedvanlige
energi i den maleriske gjennomarbeidelse ned i minste koloristiske detalj.

33.
Morderen 1910
Malt på lerret
94,5 x 154 cm
Munch-museet

Et av Munchs mektigste bilder fra tiden umiddelbart etter hjemkomsten fra København. Den frie, ekspresjonistiske fargebruk i dette og de forrige bilder kan markere et nedslag fra fauvistenes gjennombrudd i Paris noen år tidligere; som alltid støper imidlertid Edvard Munch de mottatte innflytelser om i en sterkt personlig form. Også her står vi overfor et koloristisk usedvanlig gjennomarbeidet bilde, hvor nettopp fargebruken støtter den psykologiske stemning av uforklart uhygge.

34.
Den gule tømmerstokken 1911-12
Malt på lerret
131 x 160 cm
Munch-museet

Dette bildet er knyttet til en serie fra norsk arbeidsliv – av jordbruksarbeidere, fiskere, rallare og byg-
ningsfolk. Riktignok er det her snakk om arbeidets resultater mer enn om arbeidslivet selv, og med
Edvard Munchs tendens til symbolisme i tankene kan vi også spørre om vi nok en gang står overfor de
store grunntanker om tilintetgjørelse og voksende liv, slik det formes i naturens store kretsløp. For øvrig
preges bildet av kraften i det sentrale perspektiv og den kontrasterende bevegelse fra billedflaten inn i
dybden og tilbake. Bildet er et av de sterkeste eksempler på denne uløste konflikt mellom krefter som
ofte er nedlagt i Edvard Munchs komposisjoner, og som vi må ha lov å se som et abstrakt uttrykk for en
tilsvarende høyspent balanse mellom spenninger i kunstnerens eget sinn.

35.
Solen 1911-16
Malt på lerret
450 x 780 cm
Universitetets aula, Oslo

Solen danner fondbildet i den
store utsmykkingen av
Universitetets aula, påbegynt
1909 og avsluttet i 1916.
Opprinnelig var denne plassen
opptatt av en komposisjon som
Munch kalte *Menneskeberget*,
og som viser slektens streben
mot lyset. I det endelige resultat
ble lyset selve hovedmotivet, og
det er solens stråler som sprer
seg til aulautsmykkingens side-
felter og inspirerer liv til begge
sider. Solen selv er tegnet som
en hvitglødende masse av
eksploderende energi, og stiger
opp over horisonten øst for
Kragerø slik Munch har sett
den fra sin utsikt på *Skrubben*,
som det store huset het der han
leiet seg inn etter hjemkomsten
fra København i 1909.

36.
I sneløsningen ca. 1912-13
Malt på lerret
100 x 150,5 cm
Privat eie

Malt på Ramme i Hvitsten, en eiendom Munch skaffet seg i 1910. Huset står fremdeles. Utsikten er sett over et lite bergnes mot syd fra huset. Munchs landskapsbilder fra denne tiden eier en monumentalitet som antagelig har sammenheng med hans arbeid for aulautsmykkingene, der det monumentale landskap i *Historien* gir selve inngrepet av det arkaiske og tidløse Norge.

37.
Arbeidere på hjemvei 1913-15
Malt på lerret
201 x 227 cm
Munch-museet

Et av de mest sentrale verk i kretsen av Munchs arbeiderbilder, malt umiddelbart før den store kommu-
nistiske revolusjon i Russland. Snarere enn å uttrykke noen arbeiderklassens triumf, synes maleriet å vise
medlemmer av et nedtrykket proletariat, ulikt de selvsikre rallare i et samtidig bilde av *Arbeidere i sne*.
Dobbeltkonturene som omgir enkelte av hovedfigurene sammen med det dramatiske perspektiv og
behandlingen av forgrunnsfigurenes ben gjør det trolig at Edvard Munch har søkt å løse bevegelsespro-
blemer som også beskjeftiget andre samtidige kunstnere.

38.
Gråtende kvinne ca. 1914
Malt på lerret
80 x 100 cm
Kunsthalle, Hamburg

Modellstudiet spiller en særlig stor rolle gjennom
de siste 30-35 år av Edvard Munchs liv som
kunstner. Han lever seg inn i studiet av modellen
med en sensualitet som får det til å virke som om
modellstudiet trådte istedenfor et aktivt erotisk
liv hos en kunstner som vek tilbake for konflikt-
muligheter som kunne forstyrre en hardt tilkjem-
pet balanse. Modellen Ingeborg Kaurin, som vises
her, var Munchs modell fra 1911 til 1915 – ung,
frodig og glad. I bildet er hun fremstilt som om
hun gråter, men praktfullt malt med sikre kon-
turlinjer og et rikt utspill av farger i flytende
foredrag.

39.
Høysommer II 1915
Malt på lerret
95 x 119,5 cm
Munch-museet

Malt i Hvitsten, med Ingeborg Kaurin (se ill. 38) som modell for forgrunnsfiguren. Bildet er en hyllest til menneskenes samliv med naturen: Under solens livgivende stråler er det som om kroppene smelter sammen med berget, i en naturlig forening der skillet mellom organisk og uorganisk stoff oppheves. Det koloristiske anslag er dramatisk, men raffinert: En kontrast hovedsakelig mellom rødt og blått, men supplert med støttende gult og grønt, og hver farge modulert i et rikt og variert spill.

40.
Barn i gaten ca. 1915
Malt på lerret
92 x 100 cm
Munch-museet

Ingen typisk Munch, men heller ikke uten sammenheng med hans øvrige produksjon, hvor mange av de tekniske grep finnes i mindre rendyrket form. Teknikken er usedvanlig: Det nakne lerretet spiller parvis med over hele komposisjonen, der figurer og de elementer som bygger opp det kraftige skråperspektivet inn mot høyre, er kastet ned i kontur med farge sprøytet direkte ut av tuben, og ellers rått henslengte fargepartier. Koloritten viser stort raffinement – studér bare variasjonene eksempelvis i de røde og gule felt. Dette er et aktivt bilde, både gjennom den livlige bevegelse som er lagt inn i komposisjonen, og gjennom det vitnemål om selve den kraftfulle fremstillingsprosess som fargelagene på lerretet bærer bud om.

41.
Ved dødssengen ca. 1915
Malt på lerret
187 x 234 cm
Munch-museet

Vi kjenner motivet i Munchs skisser og utkast tilbake til 1893. Bildet skildrer søsteren Sophies død. faren, korpslege Christian Munch, står i bønn ved sengen sammen med døtrene Inger og Laura, sønnen Andreas og svigerinnen Karen Bjølstad helt i forgrunnen. Komposisjonen ligger nær opp til den opprinnelige, men den maleriske uttrykksform er drastisk endret. Hvor de opprinnelige utkast viste feberfantasienes grinende dødsmasker på veggene i bakgrunnen, er denne del av bildet nå understreket som fokus for perspektivet ved en lysmettet, nesten oppløst veggflate. Slik bildet er komponert, er det denne oppløste, lysende overgang i rommets bakvegg vi i likhet med den døende selv retter oppmerksomheten mot.

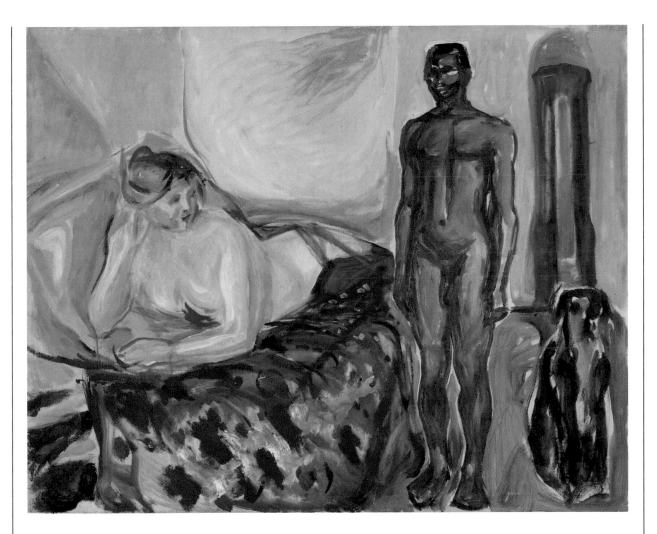

42.
Kleopatra og slaven 1916-20
Malt på lerret
100 x 125 cm
Munch-museet

Negeren er en modell Munch engasjerte på slutten av 1916, og dette bildet vet vi ble utstilt hos
Blomqvist i 1921. Med sin høyt oppdrevede koloritt er dette et praktfullt gjennomført motiv, langt fra
uten urovekkende anslag: Negeren, den fallosformede mørke ovn, hunden med de store øyenhuler – og
samtidig en praktfull koloristisk utforldelse ved store røde, gule og blå plan. Dette lite påaktede bildet er
et mesterstykke fra den modne mesters hånd.

43.
Mannen i kålåkeren 1916
Malt på lerret
136 x 181 cm
Nasjonalgalleriet, Oslo

Da dette bildet ble malt, hadde de franske kubister og konstruktivister i Holland og Russland for lengst brutt ned det konvensjonelle synsbildet, samtidig som det non-figurative maleri var skapt. I likhet med Henri Matisse og mange av de andre avant-gardistene fra årene før krigsutbruddet i 1914, slo Edvard Munch aldri inn på denne banen, selv om abstrakte verdier i komposisjon og fargebruk ofte blir sterkt markert – som i dette festlige fyrverkeri av et sommerlandskap, der rikt gjennomarbeidete koloristiske partier er omhyggelig sammenholdt i en fast, sentralisert komposisjon.

44.
Bohemenes død 1917-18
Malt på lerret
110 x 245 cm
Munch-museet

Bildet fremstiller bohemlederen Hans Jægers død i 1910 på et leiet rom i Tostrupgården. Munch var ikke selv til stede, men fikk scenen skildret for seg av sin venn Jappe Nilssen. Som så ofte hos Munch, er selve hovedmotivet skjøvet i bakgrunnen, men fremhevet ved det røde sengehodet over og bak Jægers gustne ansikt. Merkelig er Munchs behandling av rommet: Det virker som om han har søkt å skape en følelse av at rommets faste grenser oppløses, som om han på denne måten ville legge inn en uro i komposisjonen som øker den emosjonelle intensiteten i det som kanskje er skildret som selve dødsøyeblikket.

45.
Ved kurvstolen I 1919-21
Malt på lerret
122,5 x 100 cm
Munch-museet

Bildet hører med i en serie som
er gitt navnet *Soveværelset*, der
Edvard Munch i flere bilder
fremstiller seg selv sammen
med den halvt påkledde modell
Annie Fjeldbu. Serien virker
som en selvransakende studie
av den nesten 60-årige kunst-
ners forhold til det erotiske.
Som helhet gir den ut rykk for
spenningsfylte og sterke følel-
ser, slik det også kommer til
syne i komposisjonen med den
nakne modellen: Den uoppred-
de sengen i bakgrunnen, det
oppløste, fallende mørke håret,
og den turbulente formbehand-
ling i sengeteppet som er kastet
over kurvstolen støtter alle det
samme inntrykk. Interiøret er
fra Munchs eget soveværelse på
Ekely.

46.
Stjernenatt 1923-24
Malt på lerret
139 x 119 cm
Munch-museet

Malt fra Ekely med den opplyste by i bakgrunnen under en praktfull
stjernehimmel. Referansen er til Ibsens *Hans Gabriel Borkman*, der
Borkman i siste akt går ut i vinternatten for å dø. Som gammel og
ensom i det store hus på Ekely har Munch sikkert levet seg inn i
Borkmans rolle, slik han i yngre år også identifiserte seg med Osvald
og med Peer Gynt.

47.
Knelende akt   1920-tallet
Malt på lerret
151 x 119 cm
Munch-museet

Her er modellen posert knelende i sengen mot
et mørkt bakgrunnsfelt, men med lys skinnende
inn fra et korsformet vindu i øvre venstre hjør-
ne. Bildet er som en studie i variasjoner av
grønt, og strøket bygger opp en komposisjon i
usedvanlig rik fylde av fallende linjer. Modellen
er Annie Fjeldbu, den samme som er avbildet
ved kurvstolen i ill. 45. Bildet er malt på Ekely.

48.
Modellstudie - Birgit Prestøe på divanen etter 1924
Malt på lerret
90 x 100 cm
Munch-museet

Birgit Prestøe var en av Munchs viktigste modeller
fra 1924 av, i en periode da den vel 60-årige maler
var inne i en intens produksjonsfase. Birgit ble
brukt som sentralfigur i en del betydelige komposi-
sjoner, men også studert for sin egen del - som her,
i en fremstilling der Munch setter henne inn i et
fast komponert rombilde, men oppløser hennes
egen figur i et rikt malerisk spill. Bildet er malt på
Ekely, vasen på bordet finnes i Munch-museets
samlinger.

50.
Drengestuen, Ekely. Vinter ant.
ca. 1935
Malt på lerret
100 x 130 cm
Munch-museet

Bildet forestiller den røde drenge-
stuen på Munchs eiendom Ekely.
Den sterkt fortynnede fargen har
løpt lett fra penselen. Det tynne
strøk bærer et lyrisk foredrag lik-
som i en enorm akvarell.
Landskapets toner er ennå kjølige
blå og fiolette, men med antyd-
ning av senvinter – en mild blå og
hvit kulde mot låveveggens hefti-
ge røde.

51.
Drengestuen, Ekely. Vår
ant. ca. 1935
Malt på lerret
93 x 118 cm
Munch-museet

Samme motiv og utførelse som ill.
50, men her malt noen uker etter:
Snøen er smeltet vekk i bare flek-
ker på marken, og klyngene av
løvtrær har fått over seg dette
fine, svakt fiolette skjær som
kommer før knoppene brister.
Sammen gir de to bilder ill. 50 og
51 et fint eksempel på Munchs
fordypning i et motiv, i ønske om
å skildre det på måter som lokker
frem forskjellige sider eller for-
skjellige stadier.

49.
Selvportrett med palett 1926
Malt på lerret
90 x 68 cm
Privat eie

Bildet er malt på Ekely, med det første vinteratelieret avbildet i bak-
grunnen til høyre. 63 år gammel fremstiller Munch seg selv som
høyreist, kraftfull og aktiv, med blikket festet på staffeliet foran seg.
Dette var også året for store utenlandsreiser, og flere betydelige
utstillinger utenlands. Forberedelsene til den store og skjellsettende
utstilling i Berlin året etter var igang.

52.
Selvportrett kl. 2 1/4 natt 1940-44
Gouache på papir
51,5 x 64,5 cm
Munch-museet

Et av Munchs seneste selvportretter, illusjons-
løst avslørende. Han sitter anspent oppreist i
stolen der en mørk skygge som faller over gul-
vet og veggen bak, kan være hans egen, samti-
dig som den fortetter en frykt som bildet
bærer bud om ved møte med døden. Motivet
virker hastig, spontant henkastet, men temaet
må ha fengslet Munch, fordi vi kjenner i hvert
fall to antagelig tidligere og meget omhyggelig
gjennomarbeidede penneskisser. Selvportrettet
må stamme fra hans aller siste år før han døde
av lungebetennelse på Ekely i januar 1944.